Een exclusieve uitgave van C4CI, http://www.c4ci.com
ISBN 90 5561 293 6
Gedrukt in Dubai

Mijn Woordenboek

My Wordbook

illustrated by
met tekeningen van **Van Gool**

In de wei

Terwijl zijn moeder graast, huppelt Bambi door de wei. Hij denkt dat hij een mooie bloem ontdekt heeft, maar het is een vlinder! Bambi is erg verbaasd als de bloem wegvliegt!

In the meadow

While his mother is eating, Bambi plays in the meadow. He thinks he has found a pretty flower, but it is a butterfly! Bambi is very surprised when the flower flies away!

de ekster

magpie

de zwaluw

swallow

de merel

blackbird

het gras

grass

de klaver

clover

de distel

thistle

de slak

snail

de libelle

dragonfly

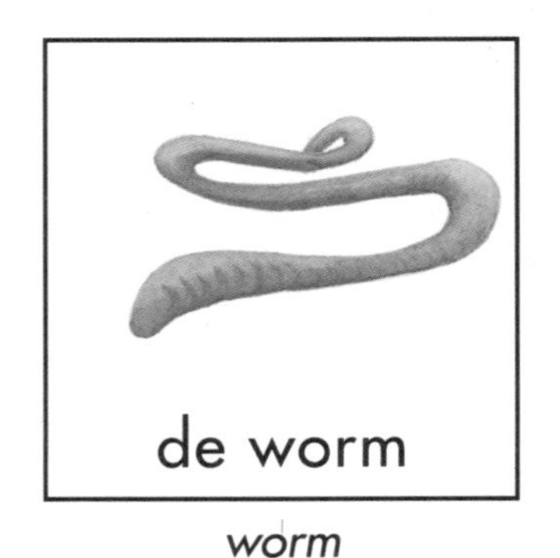

de worm

worm

de mug

mosquito

de wesp

wasp

de mier

ant

het onzelieve-
heersbeestje

ladybird

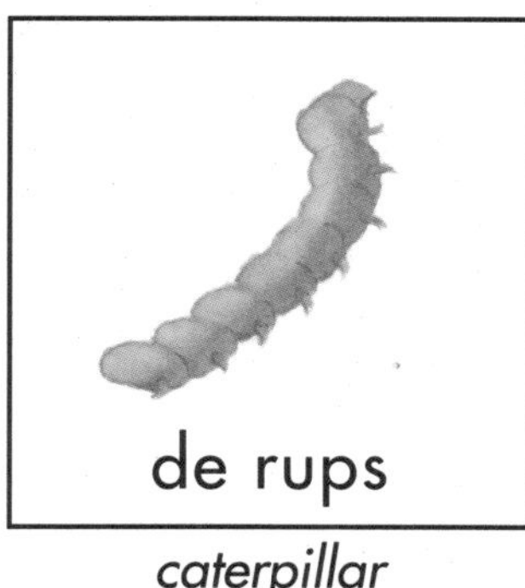

de rups

caterpillar

de vlinder

butterfly

de sprinkhaan

grasshopper

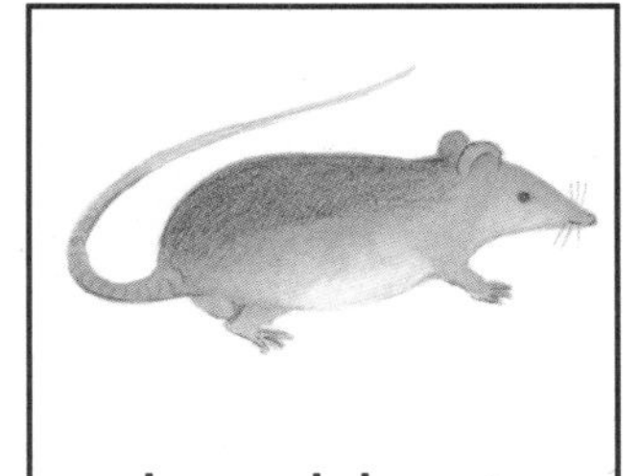

de veldmuis

field mouse

de schildpad

tortoise

de mol

mole

de pad

toad

Op de boerderij

Jaap en zijn moeder zijn erg arm. Jaap gaat naar de stad om hun koe te verkopen, maar in plaats daarvan brengt hij toverbonen mee. Binnenkort zijn Jaap en zijn moeder rijk!

On the farm

Jack and his mother are very poor. Jack goes to town to sell their cow, but instead he brings back some magic beans. Soon Jack and his mother are rich !

de tractor

tractor

de ploeg

plough

de combine

combine harvester

de kar

cart

de hooiberg
haystack
de maïskolf
corncob
de aar
wheat
de zeis
scythe
de hooivork
pitchfork
de schuur
barn
de ladder
ladder
de trog
trough
het hek
fence
de put
well
de ton
barrel
de heg
hedge
Later wil Jaap
boer worden, net
als zijn vader!
de vogel-
schrikker
scarecrow
de bijenkorf
beehive

De boerderijdieren

Arm lelijk eendje! Zijn broers en zussen hebben een hekel aan hem en alle boerderijdieren lachen hem uit. Hij loopt weg van de boerderij en vindt zijn echte familie.

Farm animals

Poor little Ugly Duckling! His brothers and sisters do not like him, and all the farm animals make fun of him. He runs away from the farm to find his real family.

de stier

bull

de koe

cow

het kalf

calf

het varken

pig

het schaap

sheep

het lam

lamb

de geit

goat

de ezel

donkey

het paard

horse

het veulen

foal

 het konijn	 de poes	 de hond	 de kalkoen
rabbit	*cat*	*dog*	*turkey*
 de zwaan	 de eend	 het eendje	 de gans
swan	*duck*	*duckling*	*goose*
 de haan	 de kip	het kuiken	 de bijen
cock	*hen*	*chick*	*bees*

Een boswandeling

Roodkapje brengt eten naar haar grootmoeder. Het huisje van grootmoeder is aan de andere kant van een donker bos. Roodkapje geniet altijd van de wandeling.

Walking through the forest

Little Red Riding Hood is bringing some food to her grandmother. Grandmother's cottage is on the other side of a dark forest. Little Red Riding Hood always enjoys the walk.

de boom

tree

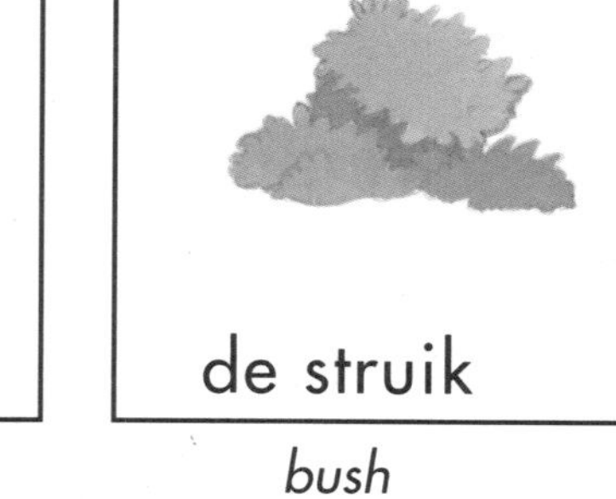

de struik

bush

het blad

leaf

de stronk

stump

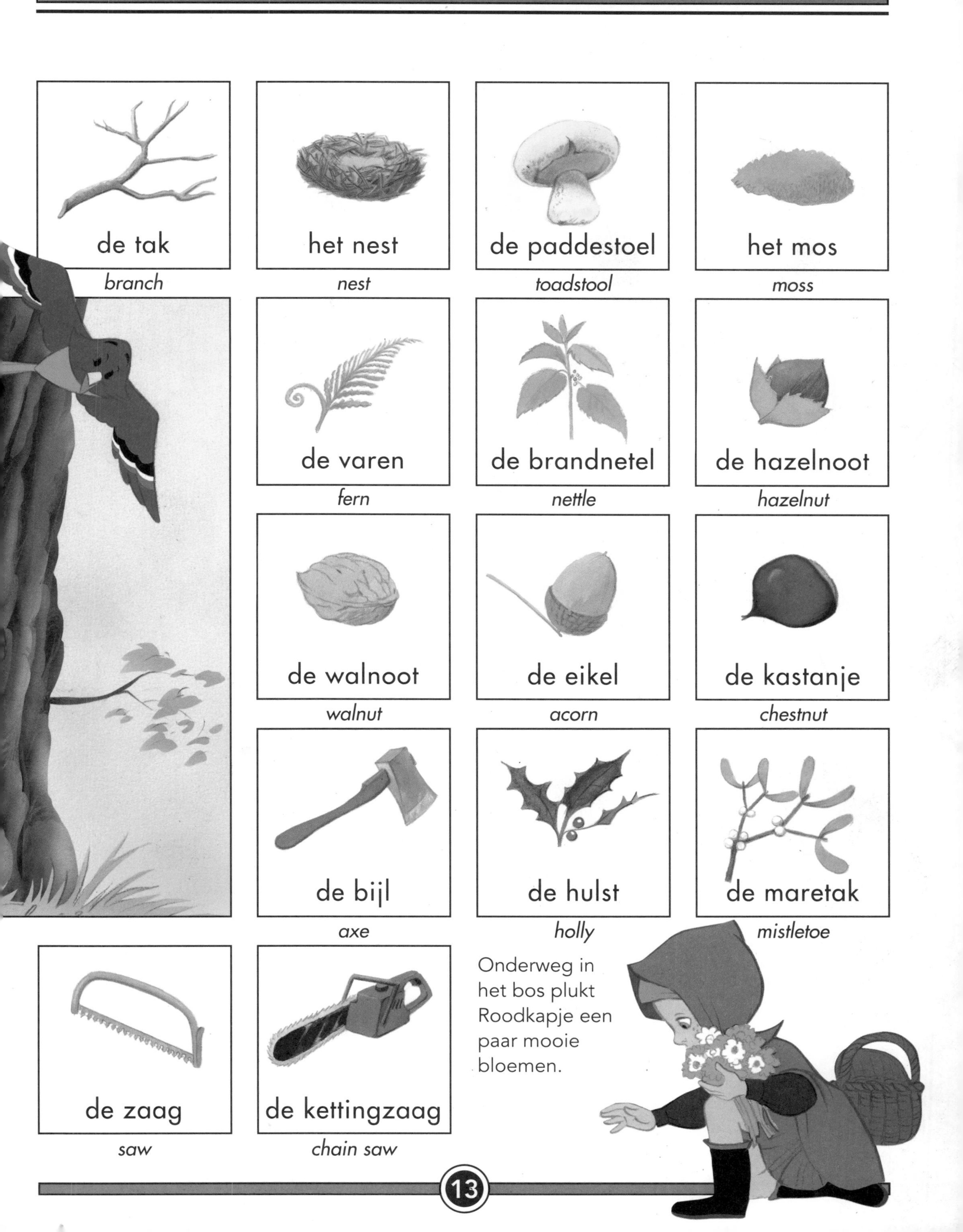

Onderweg in het bos plukt Roodkapje een paar mooie bloemen.

De dieren in het bos

Sneeuwwitje vlucht omdat de gemene koningin haar wil vermoorden. Als de bosdieren zien dat ze verdwaald is, brengen ze haar naar het huisje van de zeven dwergen.

Forest animals

Snow White runs away because the wicked queen wants to kill her. When the forest animals see that she is lost, they lead Snow White to the dwarfs' cottage.

de eekhoorn

squirrel

de slang

snake

de uil

owl

de fazant

pheasant

het roodborstje

robin

de patrijs

partridge

de specht

woodpecker

de ijsvogel

kingfisher

In het gebergte

Peter en zijn opa wonen in een hutje onderaan de berg.
Op een dag komt de wolf uit het diepe bos. Hij heeft zoveel honger dat hij de arme eend probeert op te eten!

On the mountain

Peter and his grandfather live in a cabin at the foot of the mountain.
One day the wolf comes out of the deep forest.
He is so hungry that he tries to eat the poor duck!

de berg

mountain

de spar

fir tree

het chalet

chalet

de sneeuwpop

snowman

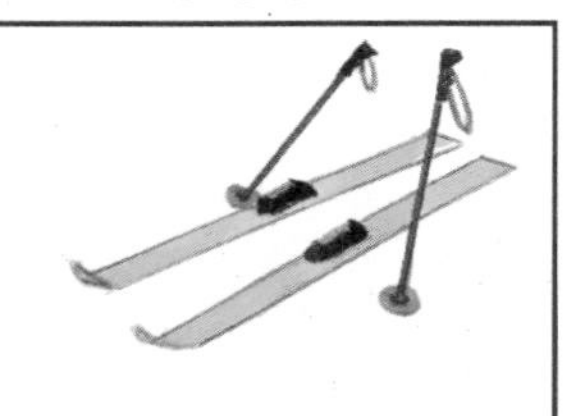

de ski's en de prikstokken

skis and ski sticks

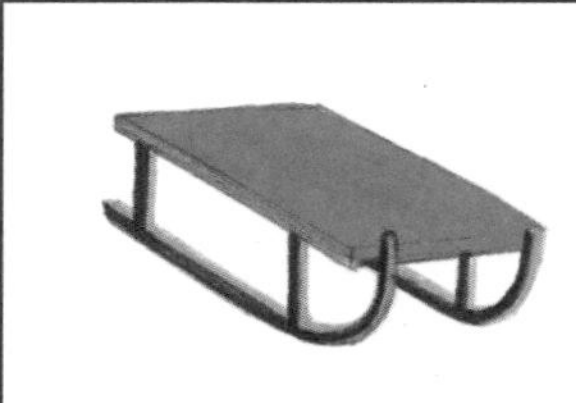

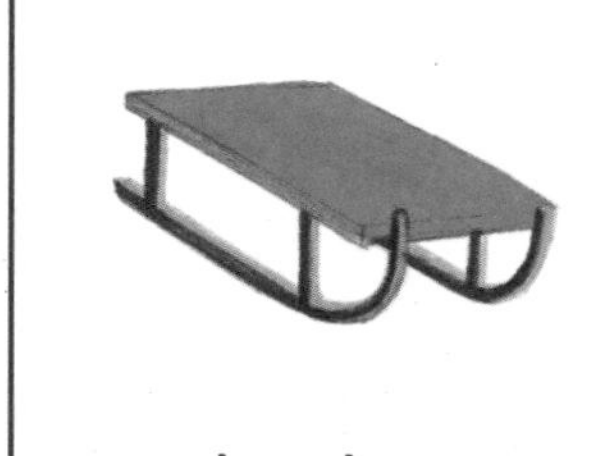

de slee

sledge

de kabelbaan

cable car

de rots

rock

de waterval

waterfall

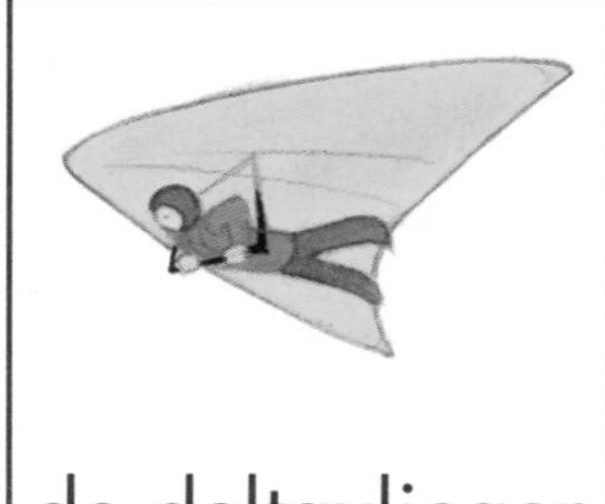

de deltavlieger

hangglider

de tent

tent

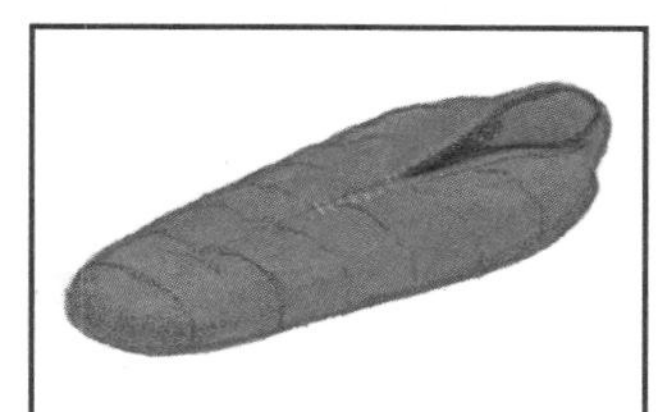

de slaapzak

sleeping bag

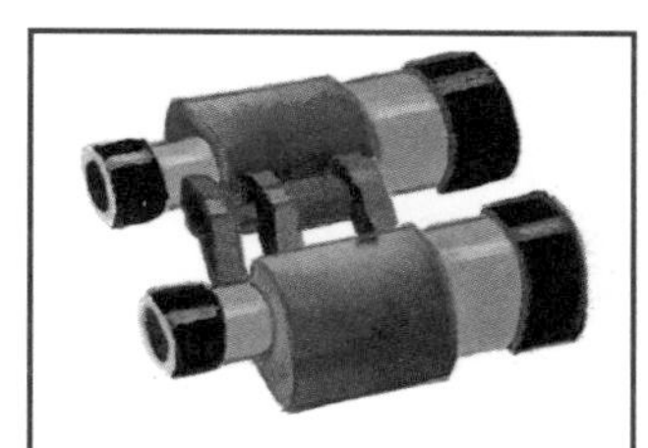

de verrekijker

binoculars

de veldfles

flask

de rugzak

rucksack

het touw

rope

de pikhouweel

ice axe

de gems

mountain goat

de marmot

marmot

de arend

eagle

de lynx

lynx

Aan het strand

Gulliver heeft schipbreuk geleden en is op het strand aangespoeld.
Terwijl hij slaapt, nemen de Lilliputters hem gevangen.

At the beach

Gulliver is shipwrecked, and he swims ashore to the beach. While he is asleep, the tiny Lilliputians tie him down and take him prisoner.

de parasol

beach umbrella

de zonnebril

sunglasses

de ligstoel

deckchair

de palmboom

palm tree

het schepnet

fishing net

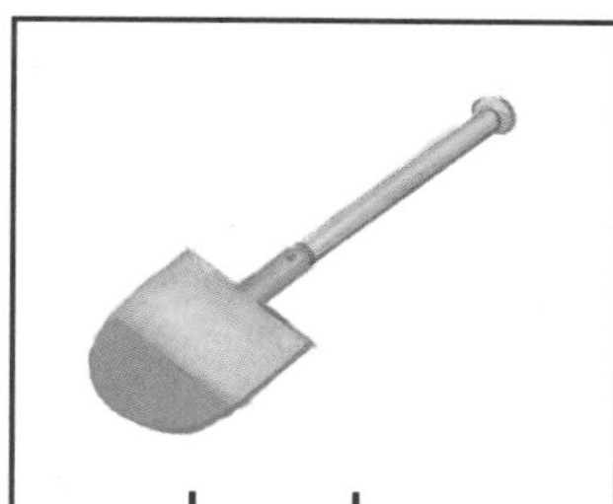

de schep

spade

de strandemmer

bucket

het zandkasteel

sand castle

het zeewier

seaweed

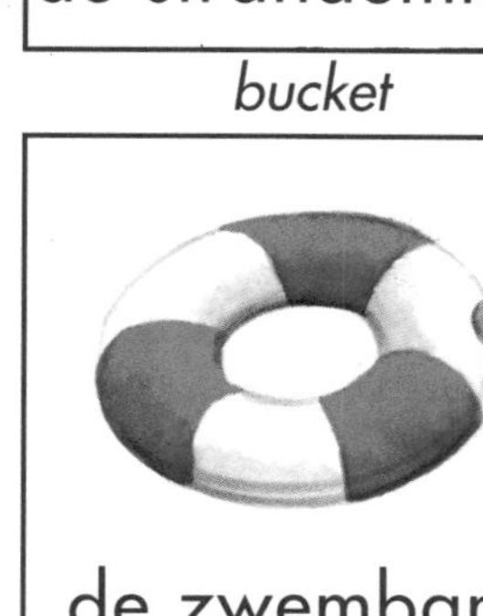

de zwemband

rubber ring

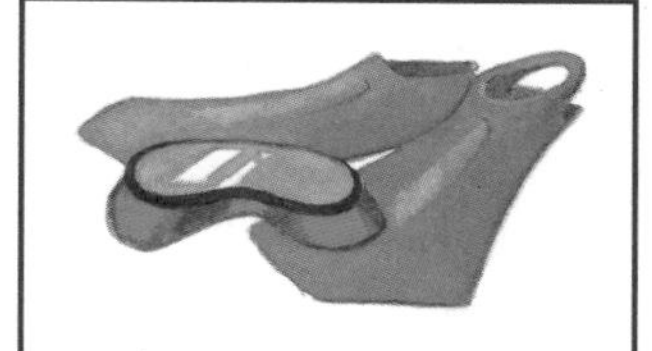

de snorkel
en de flippers

snorkel and flippers

de surfplank

surfboard

de zeilplank

windsurf board

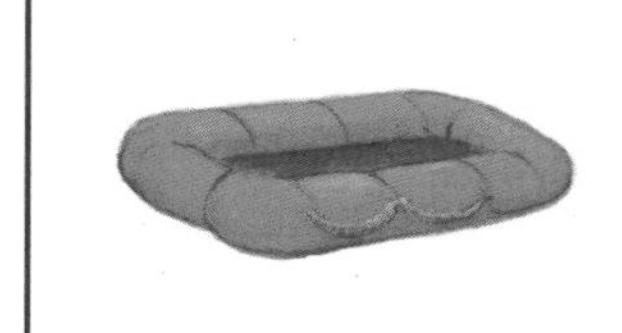

de rubberboot

dinghy

de speedboot

speedboat

de zeilboot

yacht

de vissersboot

fishing boat

de oceaanstomer

ocean liner

het eiland

island

De dieren in de zee

De kleine zeemeermin en haar zussen wonen op de zeebodem. Haar zussen houden ervan met de zeedieren te spelen, maar de kleine zeemeermin zit te dromen over het land boven de golven.

Sea creatures

The Little Mermaid and her sisters live at the bottom of the sea. Her sisters like to play with the sea creatures, but the Little Mermaid sits and dreams of the land above the waves.

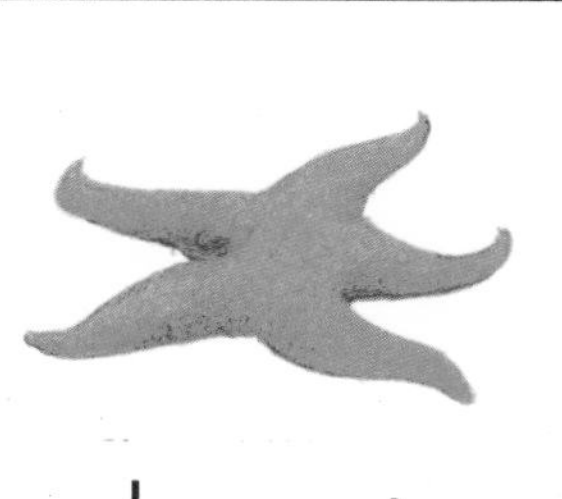

de zeester

starfish

het koraal

coral

de zeemeeuw

seagull

de albatros

albatross

de oester

oyster

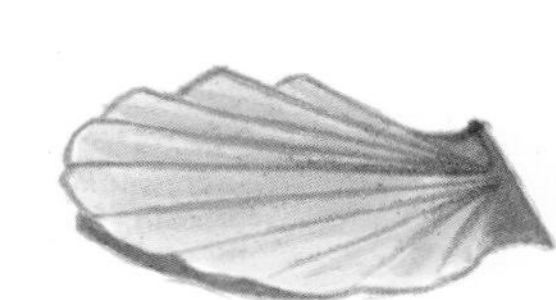

de sint-jakobs-
schelp

scallop

de mossel

mussel

de krab

crab

Op reis

In het land van Aladdin verplaatsen de meeste mensen zich op kamelen, wat erg langzaam gaat. Maar Aladdin kent een geest, die hem brengt waar hij maar wil.

Travelling

In Aladdin's country, most people travel on camels, which move very slowly. But Aladdin knows a magic genie, who can carry him wherever he wants to go.

de trein

train

de locomotief

engine

het rijtuig

carriage

het vrachtschip

freighter

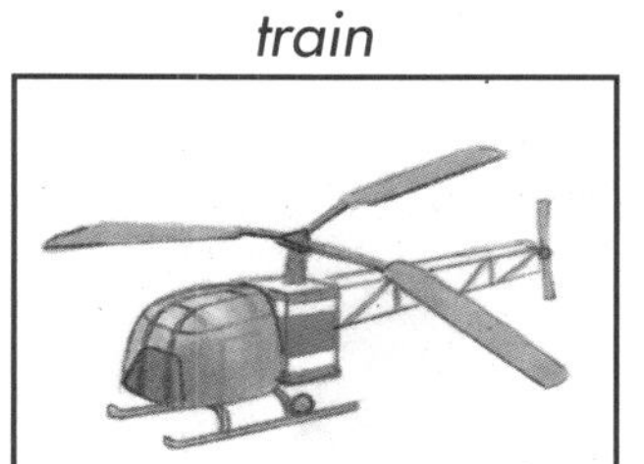

de helikopter

helicopter

het verkeersbord

road sign

de caravan

caravan

de koffer

suitcase

de aanhanger

trailer

de reistas

travelling bag

de benzinepomp

petrol pump

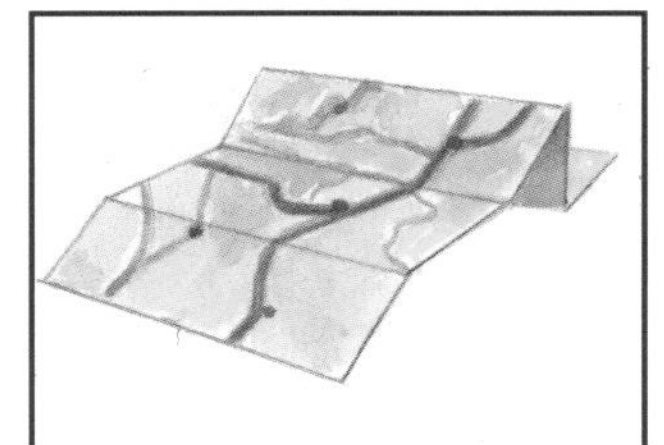

de wegenkaart

road map

het fototoestel

camera

de videocamera

video camera

In de stad

Ali Baba helpt een blinde man de weg te vinden.
De man vertelt hem dat de veertig rovers weten dat
hij hun schat gestolen heeft!

In the city

*Ali Baba is helping a blind man to cross the road.
The man tells Ali Baba that the forty thieves know he has
stolen their treasure!*

het huis

house

het kantoorpand

building

de fabriek

factory

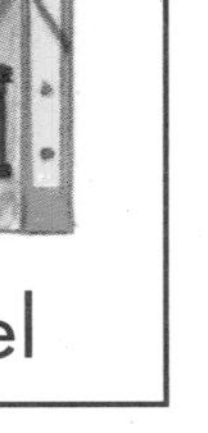

de winkel

shop

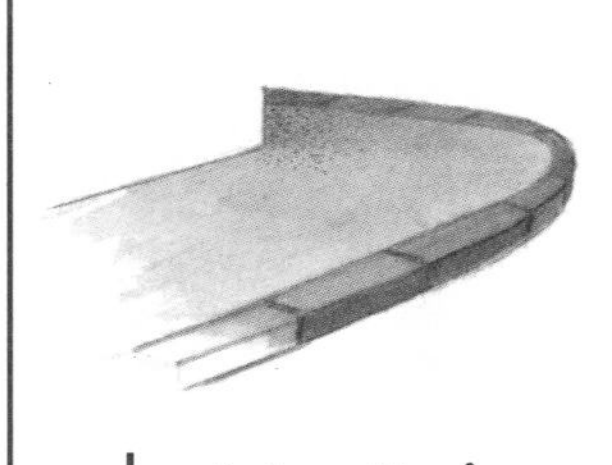

het trottoir

pavement

het verkeerslicht

traffic lights

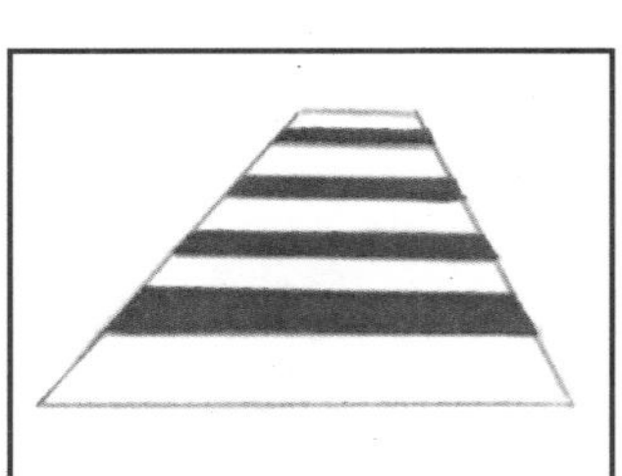

het zebrapad

zebra crossing

de bushalte

bus stop

de bus

bus

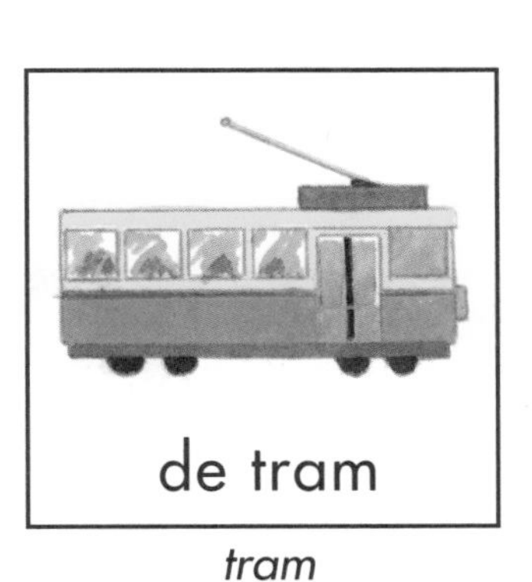

de tram

tram

de taxi

taxi

de ambulance

ambulance

de brand-
weerauto

fire truck

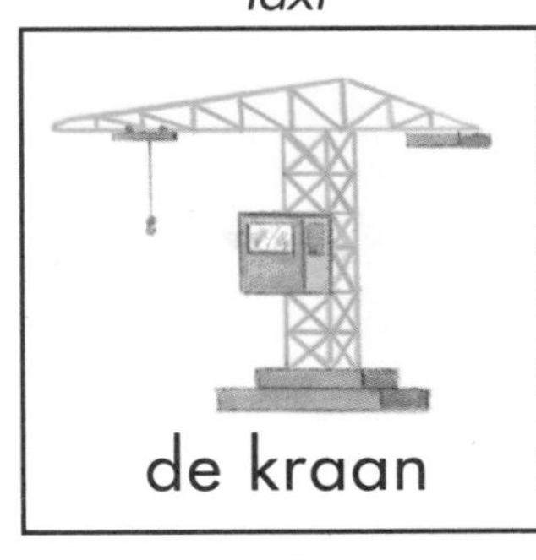

de kraan

crane

de parkeermeter

parking meter

de telefooncel

telephone booth

de brievenbus

post box

de bank

bench

het affiche

poster

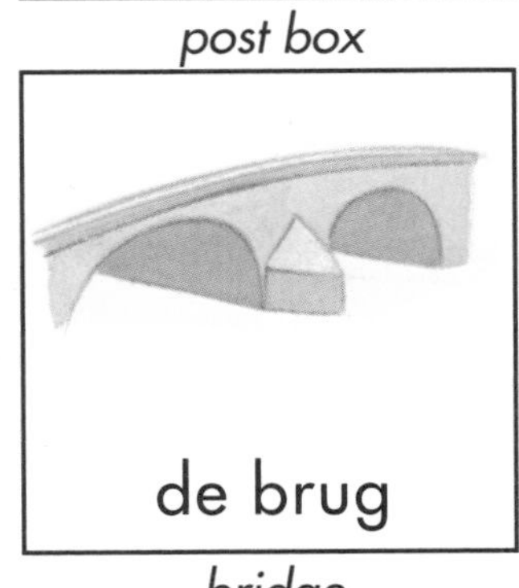

de brug

bridge

de lantaarnpaal

street lamp

het balkon

balcony

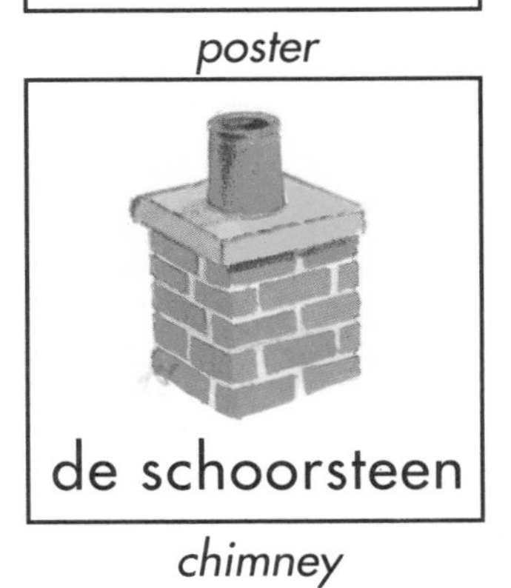

de schoorsteen

chimney

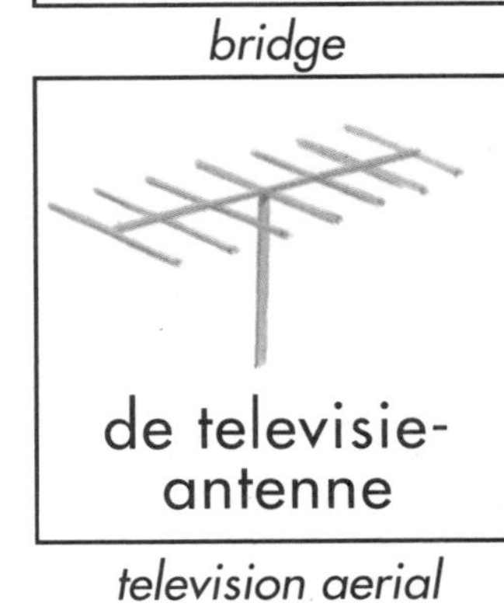

de televisie-
antenne

television aerial

Dans en muziek

Assepoester danst met haar knappe prins. Opeens slaat de klok middernacht! Assepoester moet snel naar huis, voordat haar prachtige rijtuig weer in een pompoen verandert!

Dance and music

Cinderella is dancing with the handsome Prince. Suddenly the clock strikes midnight! Cinderella must hurry home, before her beautiful carriage turns back into a pumpkin!

het balletpakje

leotard

de ballet-schoenen

ballet shoes

de piano

piano

de viool

violin

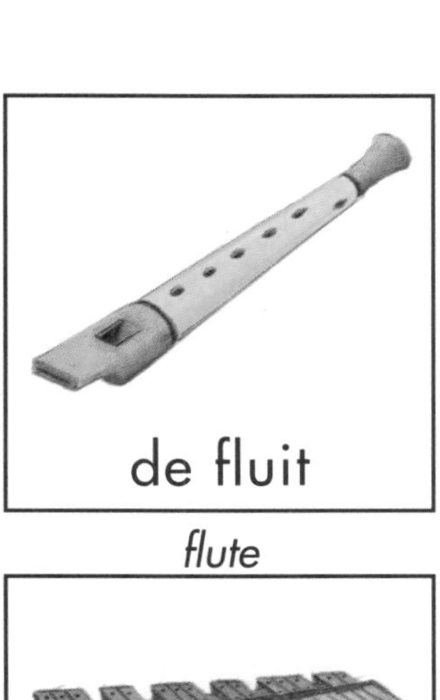

de fluit

flute

de mond-
harmonica

harmonica

de maraca's

maracas

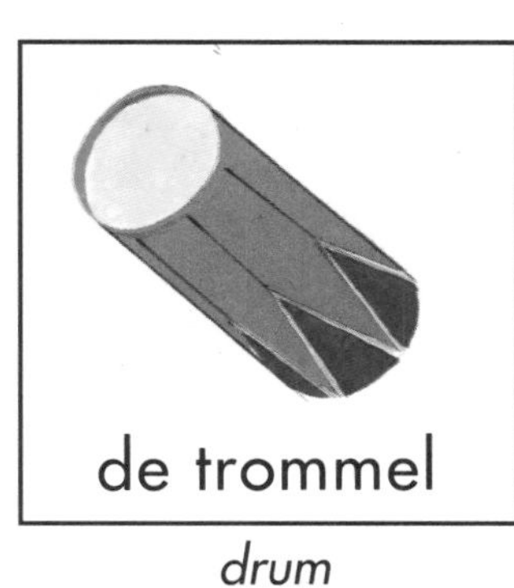

de trommel

drum

de xylofoon

xylophone

de harp

harp

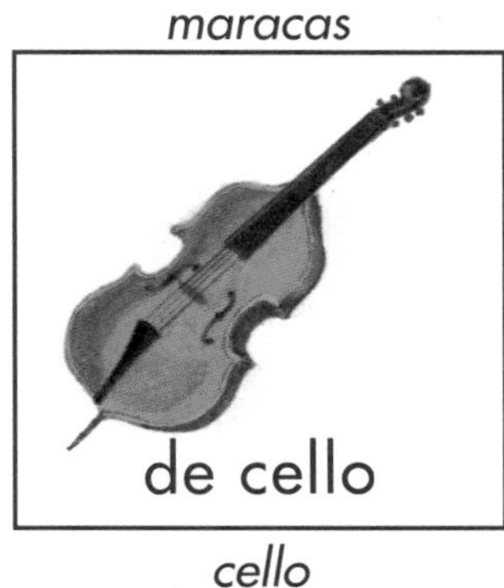

de cello

cello

de accordeon

accordion

de klarinet

clarinet

de gitaar

guitar

de bekkens

cymbals

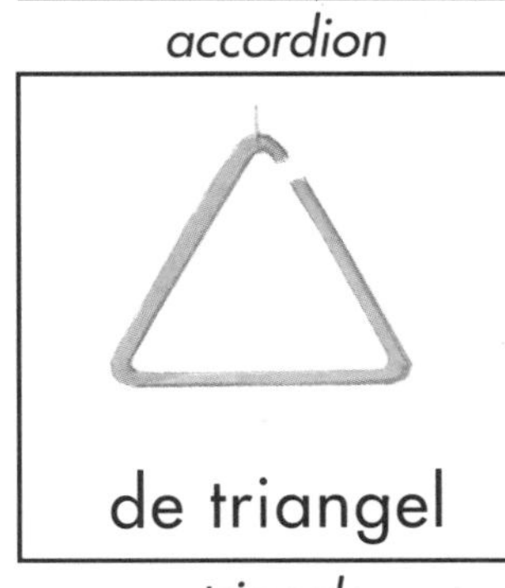

de triangel

triangle

de muziek-
standaard

music stand

de partituur

score

het drumstel

drums

Als Assepoester naar beneden rent, verliest ze een glazen muiltje.

de elektrische
gitaar

electric guitar

de cassette-
recorder

cassette player

de cd-speler

CD player

Op school

Pinokkio is een kleine pop. Als hij niet naar school gaat, komt hij in de problemen. Gelukkig houdt de Blauwe Fee hem in het oog en ze helpt hem een brave jongen te worden.

At school

Pinocchio is a little puppet. Sometimes he gets into trouble when he doesn't go to school. Luckily, the Blue Fairy is watching over him, and helps him to be good.

het schoolbord

blackboard

het krijt

chalk

de schaar

scissors

de lijm

glue

het plakband

adhesive tape

de driehoek

set square

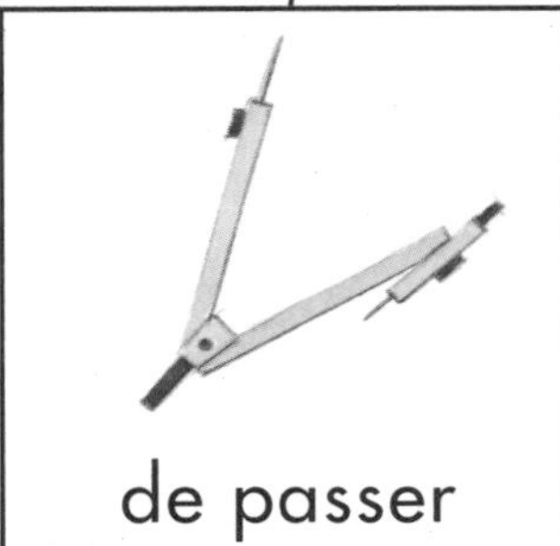

de passer

compasses

de rekenmachine

calculator

Speelgoed en spelletjes

Alice heeft het geweldig naar haar zin in Wonderland! Ze speelt vaak croquet met een flamingo als hamer en speelkaarten als poortjes. En kijk – de bal is een egel!

Toys and games

Alice has great fun in Wonderland! She often plays croquet with a flamingo as a mallet, and playing cards as hoops. And look - the ball is a hedgehog!

de pop

doll

de blokken

building blocks

de bal

ball

de driewieler

tricycle

de bromtol

spinning top

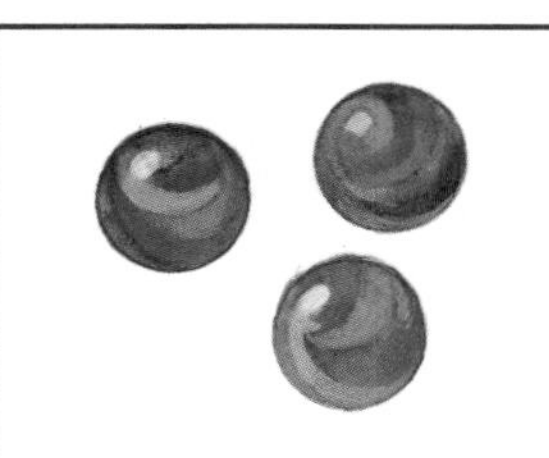

de knikkers

marbles

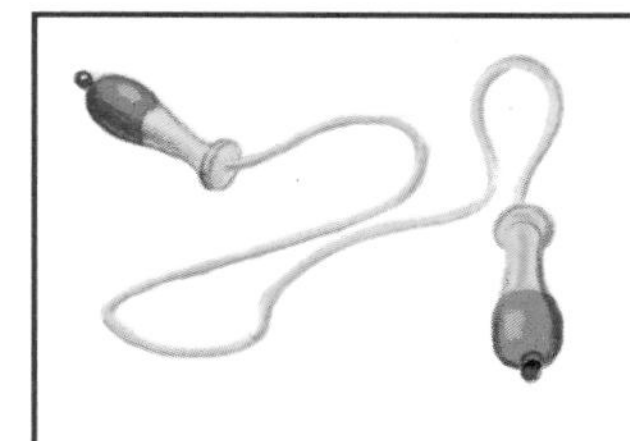

het springtouw

skipping rope

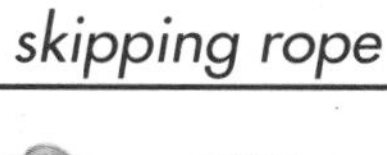

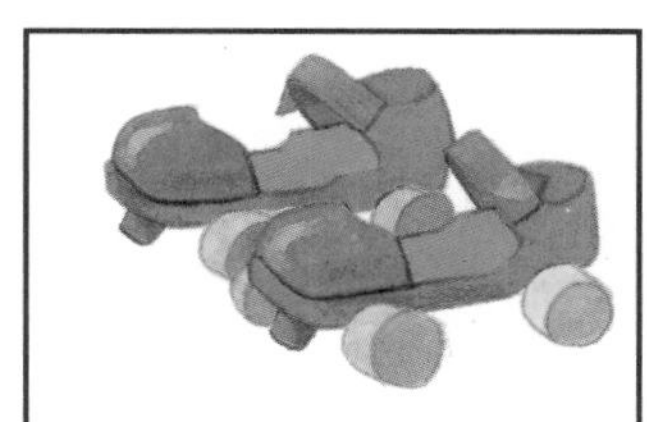

de rolschaatsen

roller skates

de teddybeer

teddy bear

het poppen-serviesje

doll's tea set

de op afstand bestuurde auto

remote-controlled car

de fiets

bicycle

de handpop

glove puppet

het hobbelpaard

rocking horse

de elektrische trein

toy train

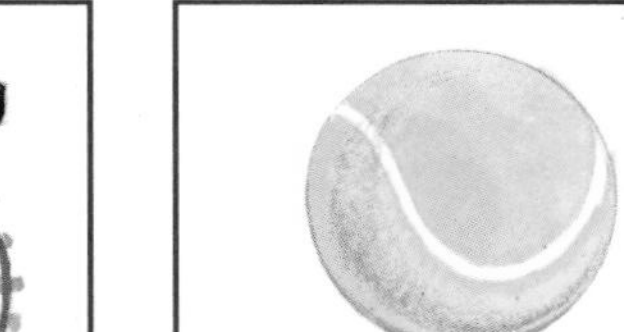

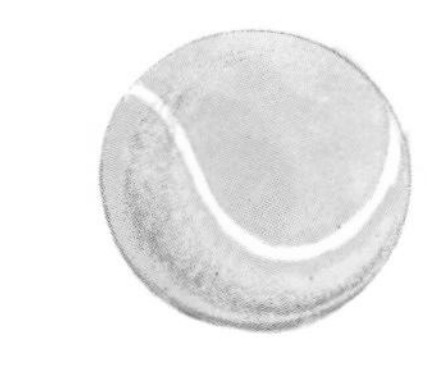

de tennisbal

tennis ball

het racket

racket

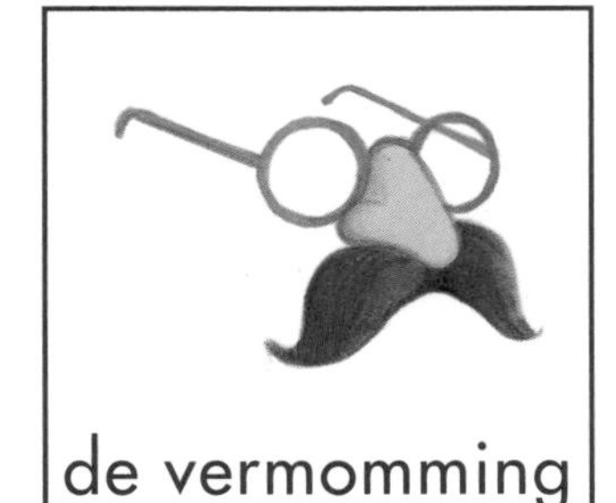

de vermomming

fancy dress

het kaartspel

playing cards

de legpuzzel

jigsaw puzzle

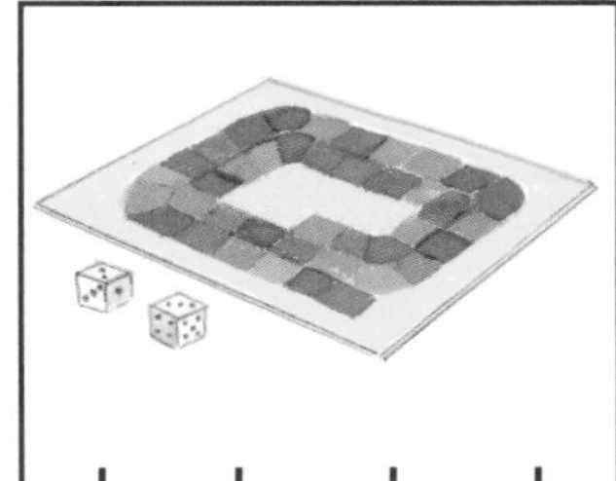

het bordspel

board game

Kleding

De keizer is op al zijn kleren uitgekeken. Als twee boeven zeggen dat ze een prachtig nieuw pak voor hem zullen maken, geeft hij ze veel geld. Maar ze hebben hem voor de gek gehouden!

Clothes

The Emperor is bored with all his clothes. When two villains say they will make him a wonderful new suit, he gives them lots of money. But they have tricked him!

de jurk

dress

de broek

trousers

de trui

jumper

het overhemd

shirt

de rok

skirt

de tuinbroek

dungarees

het vest

cardigan

de jeans

jeans

het colbert

blazer

het jack

jacket

de regenjas

raincoat

de jas

coat

het trainingspak

tracksuit

de korte broek

shorts

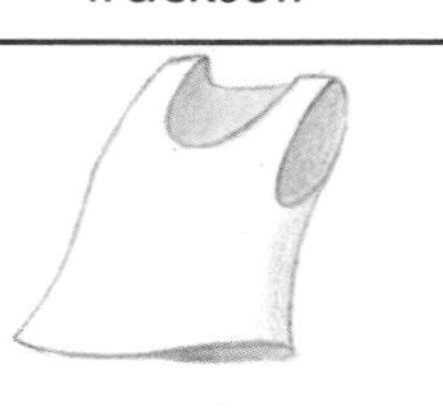

het hemd

vest

het T-shirt

T-shirt

de onderbroek

underpants

de boxershort

boxershorts

de sokken

socks

de maillot

tights

Accessoires

De molenaarszoon is erg arm. Zijn poes, de Gelaarsde Kat, brengt een bezoek aan het paleis. Met zijn hoed en zijn laarzen ziet hij er zo deftig uit dat de koning gelooft dat zijn baas een markies is!

Accessories

The miller's son is very poor. His cat, Puss in Boots, goes to visit the palace. He looks so smart in his hat and boots that the King believes his master is a Marquis!

de schoenen

shoes

de gympen

trainers

de sandalen

sandals

de pumps

flat-heeled shoes

de handtas

handbag

de portemonnee

purse

de paraplu

umbrella

de laarzen

boots

In de slaapkamer

De arme prinses doet geen oog dicht, want er ligt iets hards in haar bed. De volgende morgen is ze heel verrast als ze ontdekt dat het alleen maar een klein erwtje is!

In the bedroom

The poor Princess cannot sleep at all, because there is a lump in her bed. The next morning she is very surprised to find the lump is just a little pea!

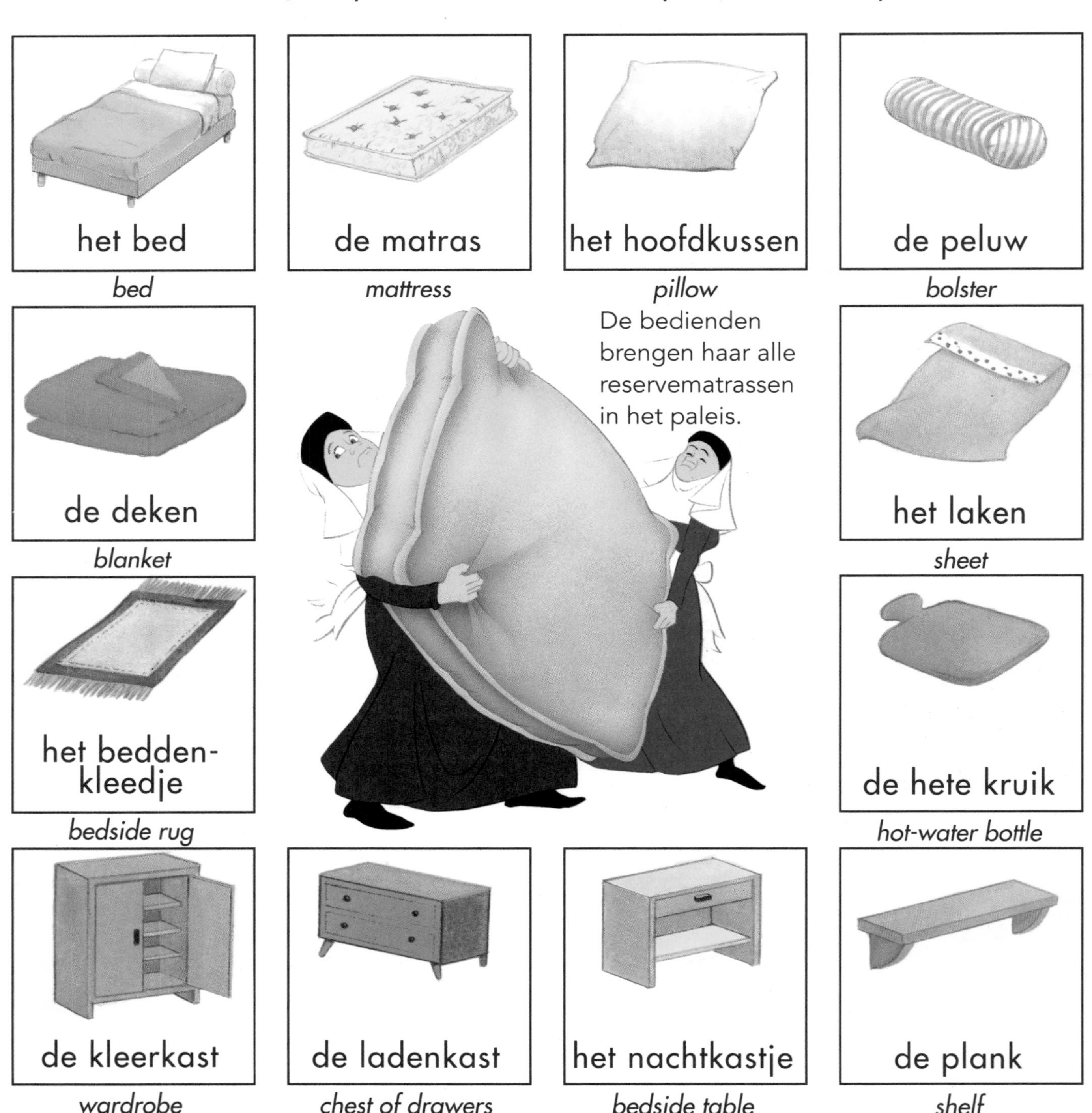

het bedlampje

bedside lamp

de wekker

alarm clock

het fotolijstje

picture frame

de spiegel

mirror

het nachthemd

nightdress

de pyjama

pyjamas

de kamerjas

dressing-gown

de slippers

slippers

In de huiskamer

Goudlokje kijkt rond in het huisje van de drie beren.
In de huiskamer springt ze op alle stoelen om te kijken
welke het lekkerst zit.

In the sitting room

*Goldilocks is looking around the Three Bears'cottage.
In the sitting room she jumps on all the chairs to see
which is the most comfortable.*

de sofa

sofa

de koffietafel

coffee table

de leunstoel

armchair

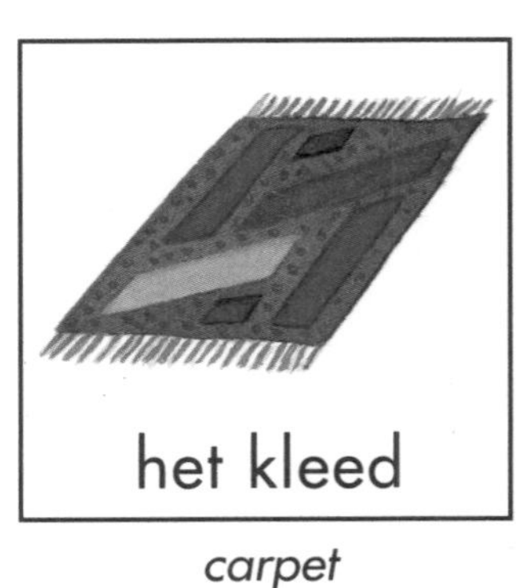

het kleed

carpet

het kussentje

cushion

de staande schemerlamp

standard lamp

de televisie

television set

de boekenkast

bookcase

de prullenmand

wastepaper basket

de telefoon

telephone

de kamerplant

potted plant

het schilderij

painting

de vaas

vase

de stereotoren

stereo

de open haard

fireplace

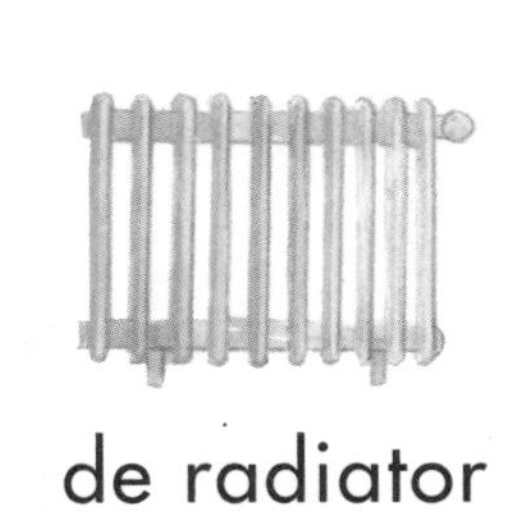

de radiator

radiator

de trap

stairs

de gordijnen

curtains

het raam

window

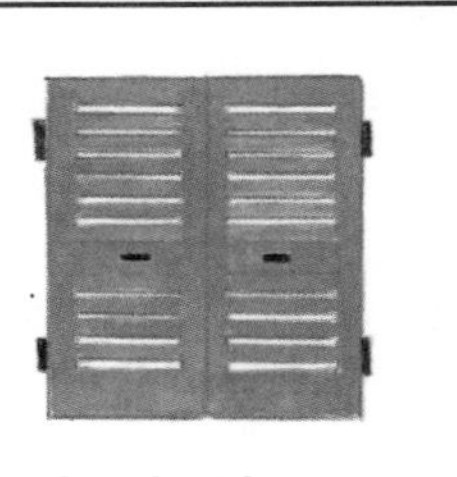

de luiken

shutters

de deur

door

In de eetkamer

Als Belle naar beneden gaat om te eten,
staat er een heerlijk maal voor haar klaar. Maar opeens komt
het Beest binnen. Hij is zo lelijk dat Belle doodsbang is.

In the dining room

When Beauty goes down to dinner, there is a lovely meal waiting for her. But suddenly the Beast comes in. He is so ugly that Beauty is very frightened.

het bord

plate

het glas

glass

de karaf

carafe

de fles

bottle

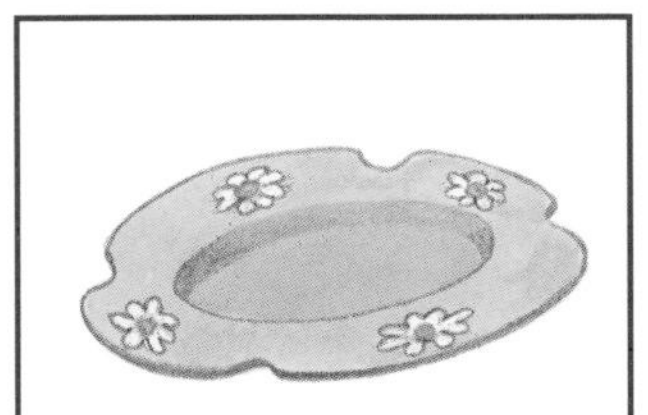

de schaal

dish

de soepterrine

tureen

het broodmandje

breadbasket

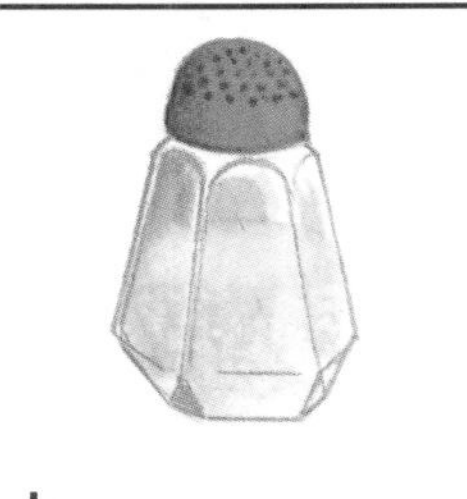

het zoutvat

saltcellar

de peperbus

pepperpot

het rolwagentje

trolley

het buffet

sideboard

In de badkamer

De molenaarszoon bibbert. "De rivier is veel kouder dan het badwater thuis," denkt hij. Maar de Gelaarsde Kat heeft hem gezegd dat hij op het rijtuig van de koning moet wachten.

In the bathroom

The miller's son is shivering. "The river's much colder than my bath!" he thinks. But he stays in the water because Puss in Boots has told him to wait for the King's carriage.

de badkuip

bath

de badmat

bathmat

de douche

shower

de badhanddoek

bath towel

het washand

flannel

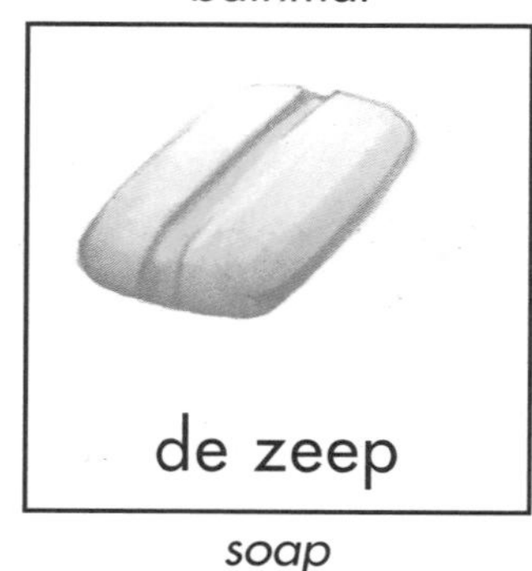

de zeep

soap

de shampoo

shampoo

de wastafel

washbasin

het toilet

toilet

de weegschaal

bathroom scales

de tandenborstel

toothbrush

de tandpasta

toothpaste

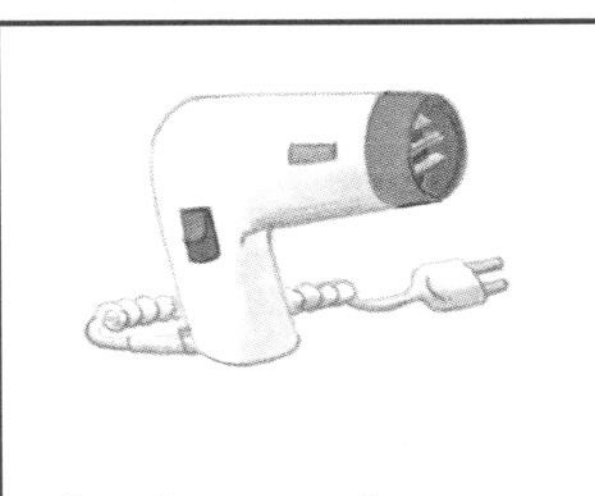

de haardroger

hairdryer

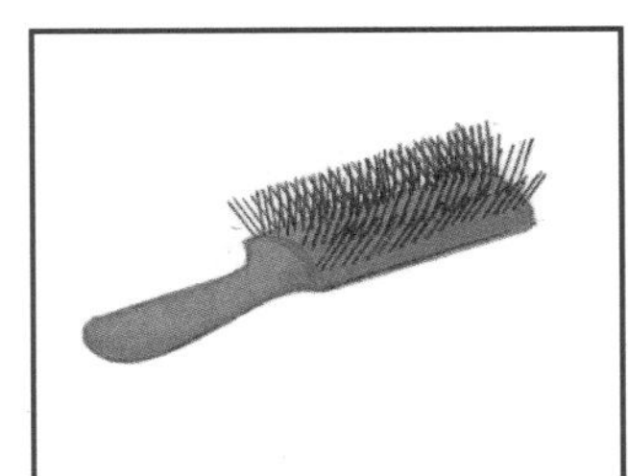

de haarborstel

hair brush

de kam

comb

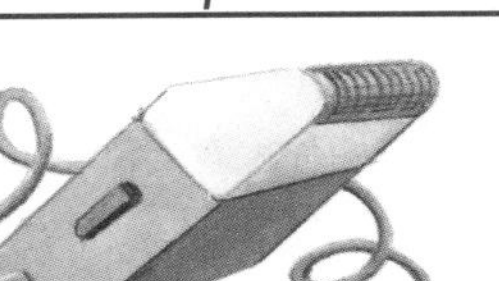

het scheer-
apparaat

electric razor

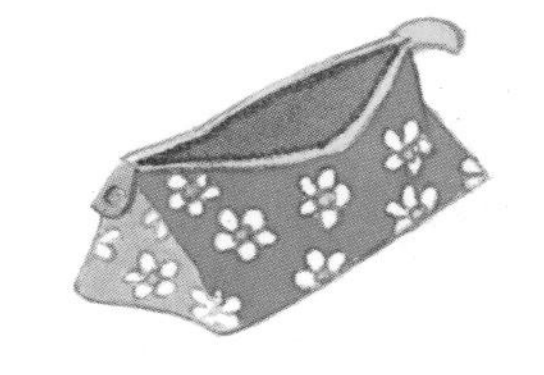

de toilettas

sponge bag

de parfum-
verstuiver

perfume

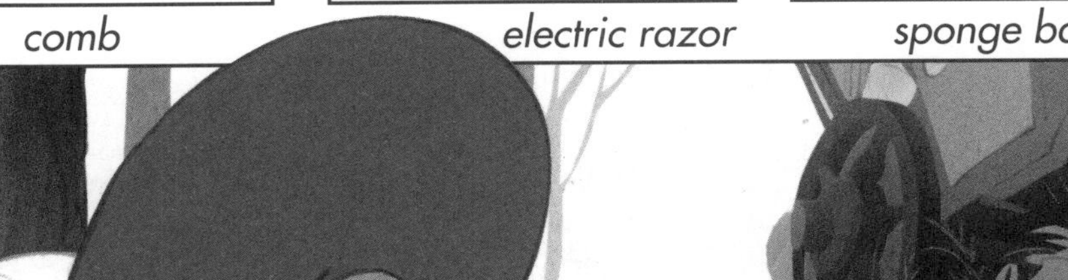

de nagelvijl

nail file

de nagellak

nail polish

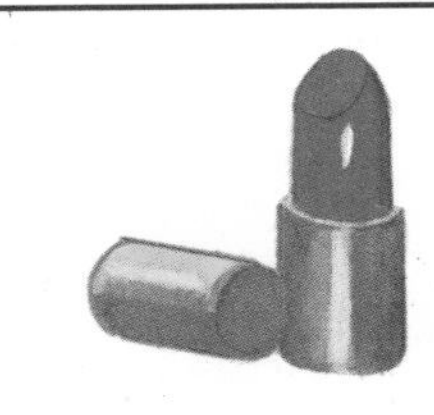

de lippenstift

lipstick

In de keuken

Bovenaan de bonenstaak heeft Jaap een enorm kasteel ontdekt. Hij klopt op de deur en een aardige vrouw neemt hem mee naar de keuken. Hij moet snel eten, want de reus is in aantocht!

In the kitchen

At the top of the beanstalk, Jack has found a huge castle. He knocks on the door, and a kind woman leads him to the kitchen. He has to eat quickly, because the giant will be home soon!

het gasstel

hob

de oven

oven

de ijskast

fridge

de vaatwas-machine

dishwasher

het aanrecht

sink

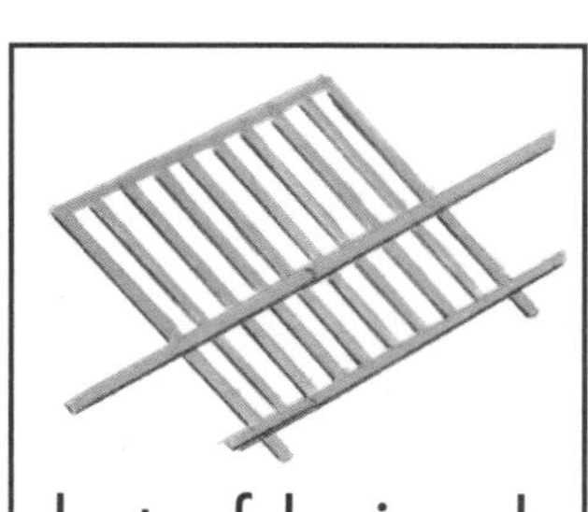
het afdruiprek

plate rack

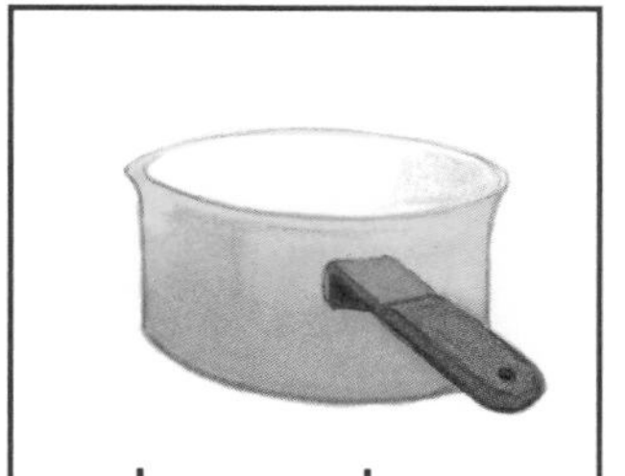
de steelpan

saucepan

de koekenpan

frying pan

de hogedrukpan

pressure cooker

de ketel

kettle

de tulbandvorm

cake tin

de deegrol

rolling pin

de mixer

mixer

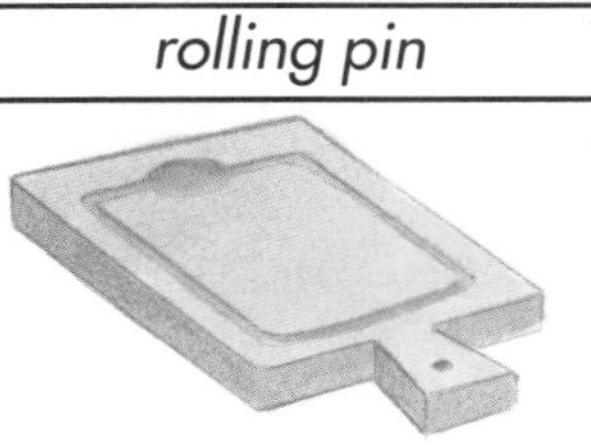
de snijplank

chopping board

de kurkentrekker

corkscrew

de blikopener

can-opener

de pollepel

ladle

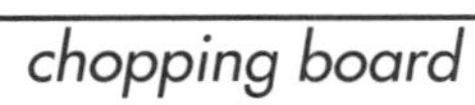

het vergiet

colander

de vuilnisbak

rubbish bin

de kruk

stool

Het huishouden

Arme Assepoester! Terwijl haar zusters zich voorbereiden om naar het bal in het paleis te gaan, moet zij het huis schoonmaken. Ze moet hun jurken herstellen en allerlei klusjes voor hen doen.

Doing the housework

Poor Cinderella! While her sisters are getting ready for the palace ball, she has to clean the house. They make her mend their dresses and fetch and carry for them.

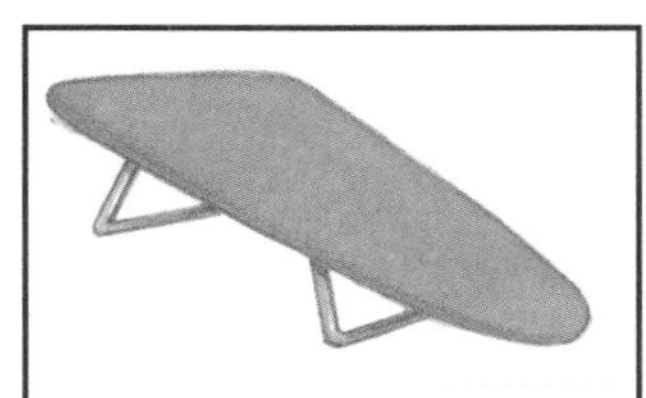

de strijkplank

ironing board

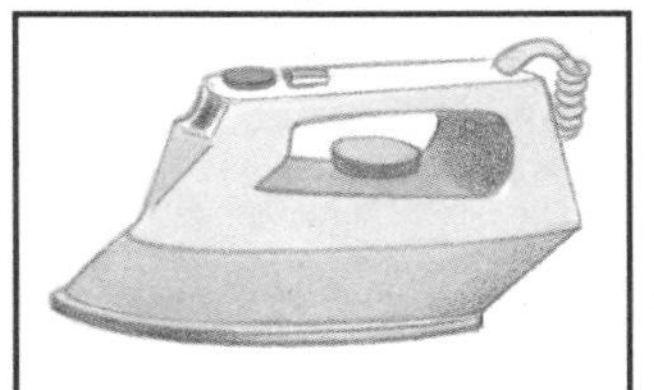

het strijkijzer

iron

de keukentrap

stepladder

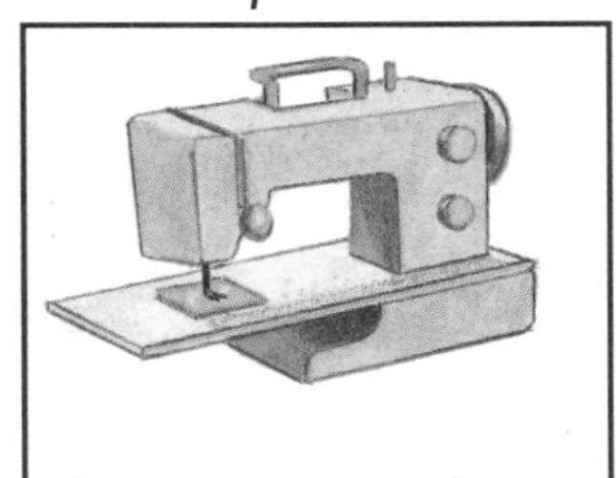

de naaimachine

sewing machine

het garenklosje

cotton reel

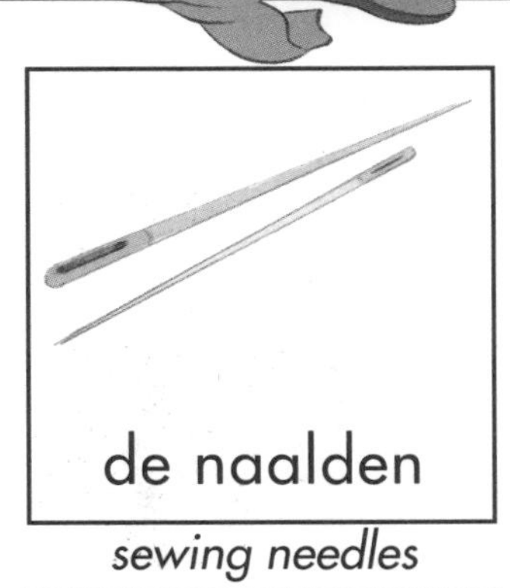

de naalden

sewing needles

de vingerhoed

thimble

de knopen

buttons

de rolcentimeter

tape measure

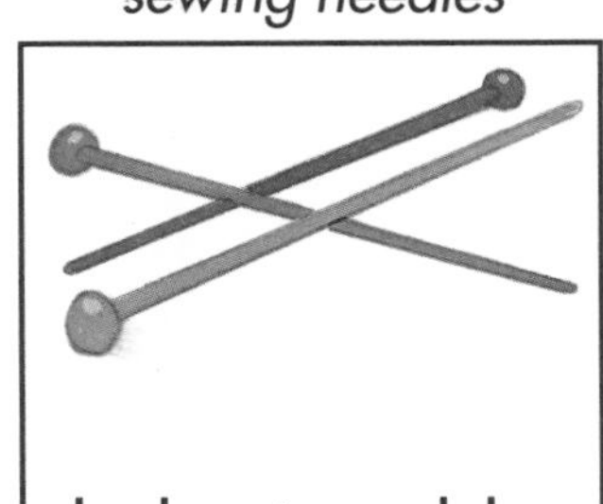

de breinaalden

knitting needles

de wolkluwen

ball of wool

Aan het ontbijt

De drie biggetjes hebben hun huisjes gebouwd. Het oudste biggetje nodigt zijn broertjes uit voor het ontbijt. Onder het eten zegt hij dat ze allebei goed moeten oppassen voor de wolf.

At breakfast

The Three Little Pigs have finished building their houses. The eldest little pig invites his brothers over for breakfast. While they are eating, he tells them both to look out for the wolf.

de kom

bowl

de kop

cup

de schotel

saucer

de broodrooster

toaster

het koffiezet-apparaat

coffee-maker

de theepot

teapot

het theezakje

tea bag

de citruspers

juicer

het glas vruchtensap

fruit juice

het brood

bread

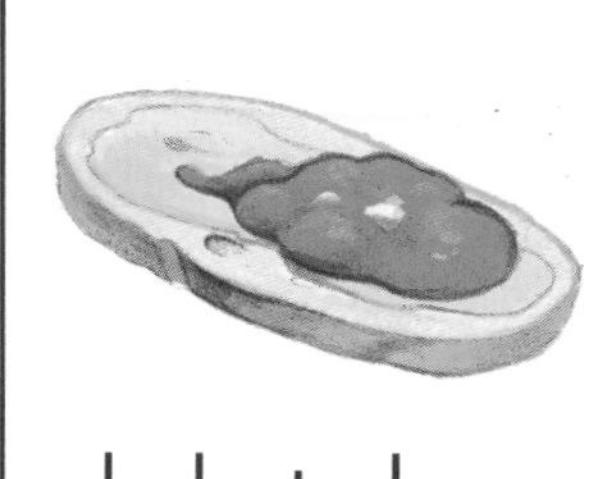

de boterham

slice of bread

de croissant

croissant

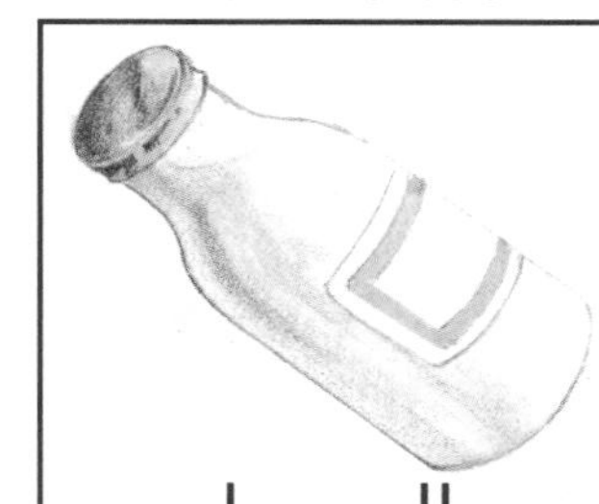

de melk

milk

de boter

butter

de jampot

jamjar

de honingpot

honeypot

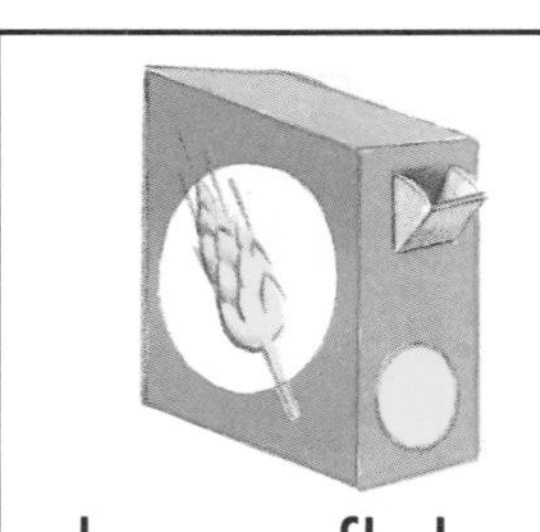

de cornflakes

cereals

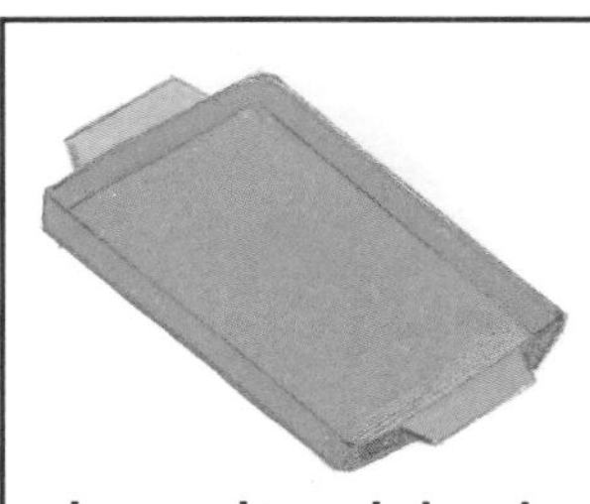

het dienblad

tray

de suikerpot

sugar bowl

De maaltijd

In de stad ontmoet Pinokkio twee schurken. "Op school is het saai," zeggen ze. "Waarom ga je niet met ons uit eten?" Pinokkio gaat met hen mee naar de herberg.

At dinner

In town, Pinocchio meets two villains. "School is boring," they tell him. "Why don't you come for meal with us instead?" So Pinocchio goes with them to the inn.

de biefstuk

steak

de patat

chips

de aardappel-puree

mashed potato

de plak ham

slice of ham

de rijst

rice

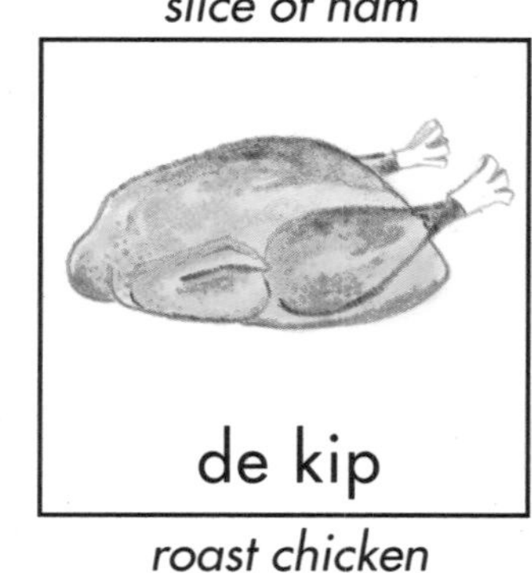

de kip

roast chicken

de rollade

joint of beef

de pasta

spaghetti

het gekookte ei

boiled egg

de worst

sausage

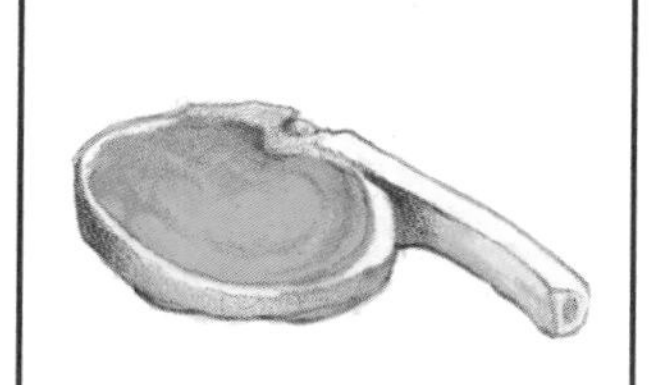

de kotelet

chop

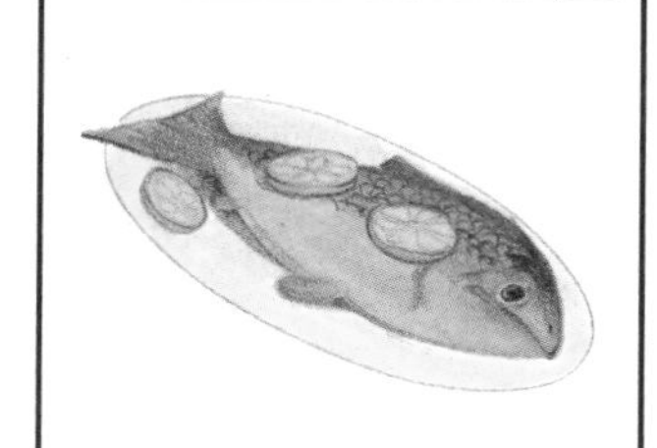

de vis

fish

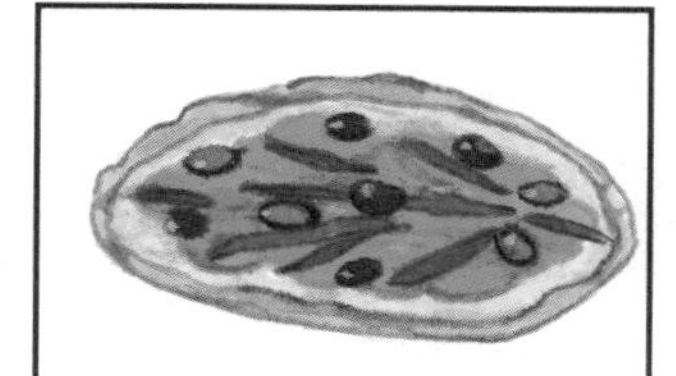

de pizza

pizza

de sandwich

sandwich

de quiche

quiche

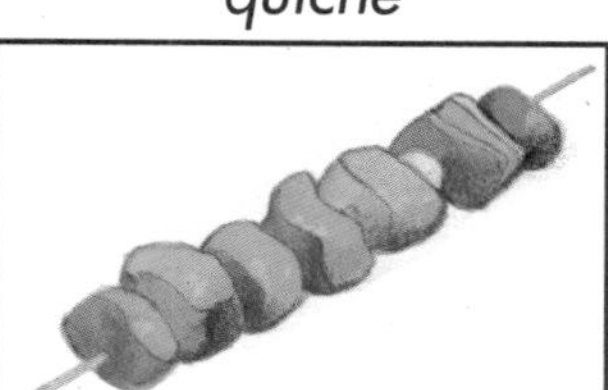

de spies

kebab

de hamburger

hamburger

de kaas

cheese

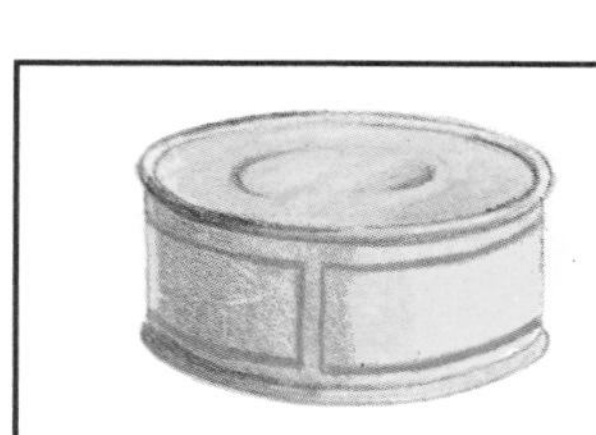

het conservenblikje

can

olie en azijn

oil and vinegar

de ketchup

ketchup

Snoep en toetjes

Hans en Grietje hebben een huisje van snoep en taart ontdekt.
Een oude vrouw nodigt hen uit om bij haar te komen eten.
Maar de kinderen weten niet dat de vrouw een gemene heks is!

Sweets and desserts

*Hansel and Gretel have found a house made of sweets and cakes.
An old woman invites them inside for the meal. The children agree,
but they do not know that she is a wicked witch!*

de zuurtjes

sweets

de lollie

lolly

de tablet chocolade

slab of chocolate

de popcorn

popcorn

de karamelappel
toffee apple
de spekkies
marshmallow
de kauwgum
chewing gum
het drop
liquorice
de pannenkoek
pancake
de wafel
waffle
het ijsje
ice cream
de donut
doughnut
de milkshake
milk shake
het kaakje
biscuit
de vlaai
tart
de verjaar-
dagstaart
birthday cake
de petitfours
cupcakes
de fruitsalade
fruit salad
de yoghurt
yoghurt

Fruit

Om de geest op te roepen hoeft Aladdin maar over de toverlamp te wrijven. "Uw wens is mijn bevel," zegt de geest. Aladdin vraagt de geest hem fruit uit de hele wereld te brengen.

Fruit

To call the genie, all Aladdin has to do is rub the magic lamp. "Your wish is my command, master," says the genie. Aladdin asks the Genie to bring him fruit from all over the world.

de appel	de peer	de banaan	de sinaasappel
apple	*pear*	*banana*	*orange*

de druiven
grapes
de ananas
pineapple
de perzik
peach
de aardbei
strawberry
de frambozen
raspberries
de abrikoos
apricot
de mandarijn
tangerine
de citroen
lemon
de grapefruit
grapefruit
de meloen
melon
de pruim
plum
de aalbessen
redcurrants
de kersen
cherries
de kokosnoot
coconut
de vijg
fig

Groente

De ouders van de drie biggetjes zijn boeren, en ze verbouwen groente. Ze werken erg hard en het hele jaar door hebben ze volop vers voedsel.

Vegetables

The Three Little Pigs' parents are farmers, and they grow vegetables. They work very hard, and all the year round they have lots of fresh food to eat.

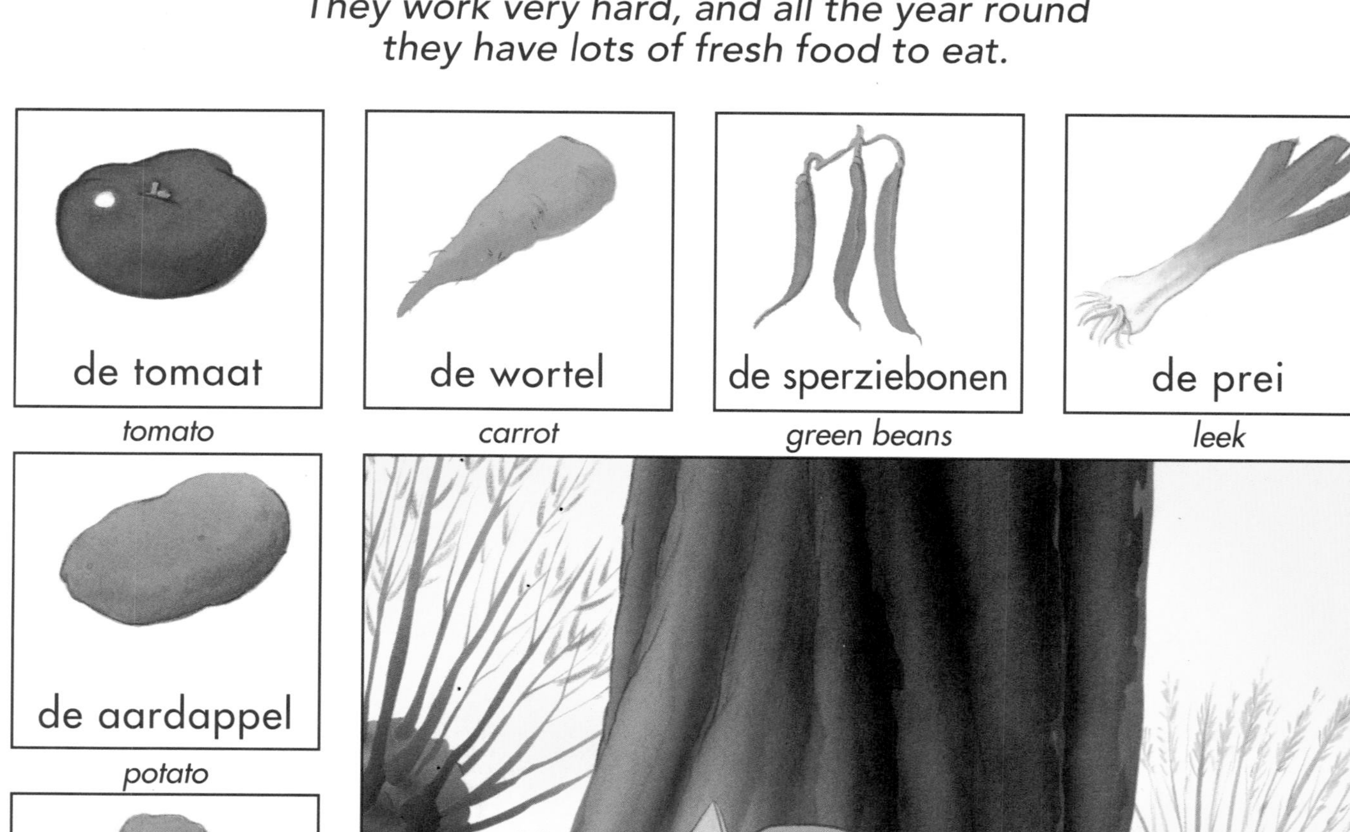

de tomaat

tomato

de wortel

carrot

de sperziebonen

green beans

de prei

leek

de aardappel

potato

de sla

lettuce

de champignons

mushrooms

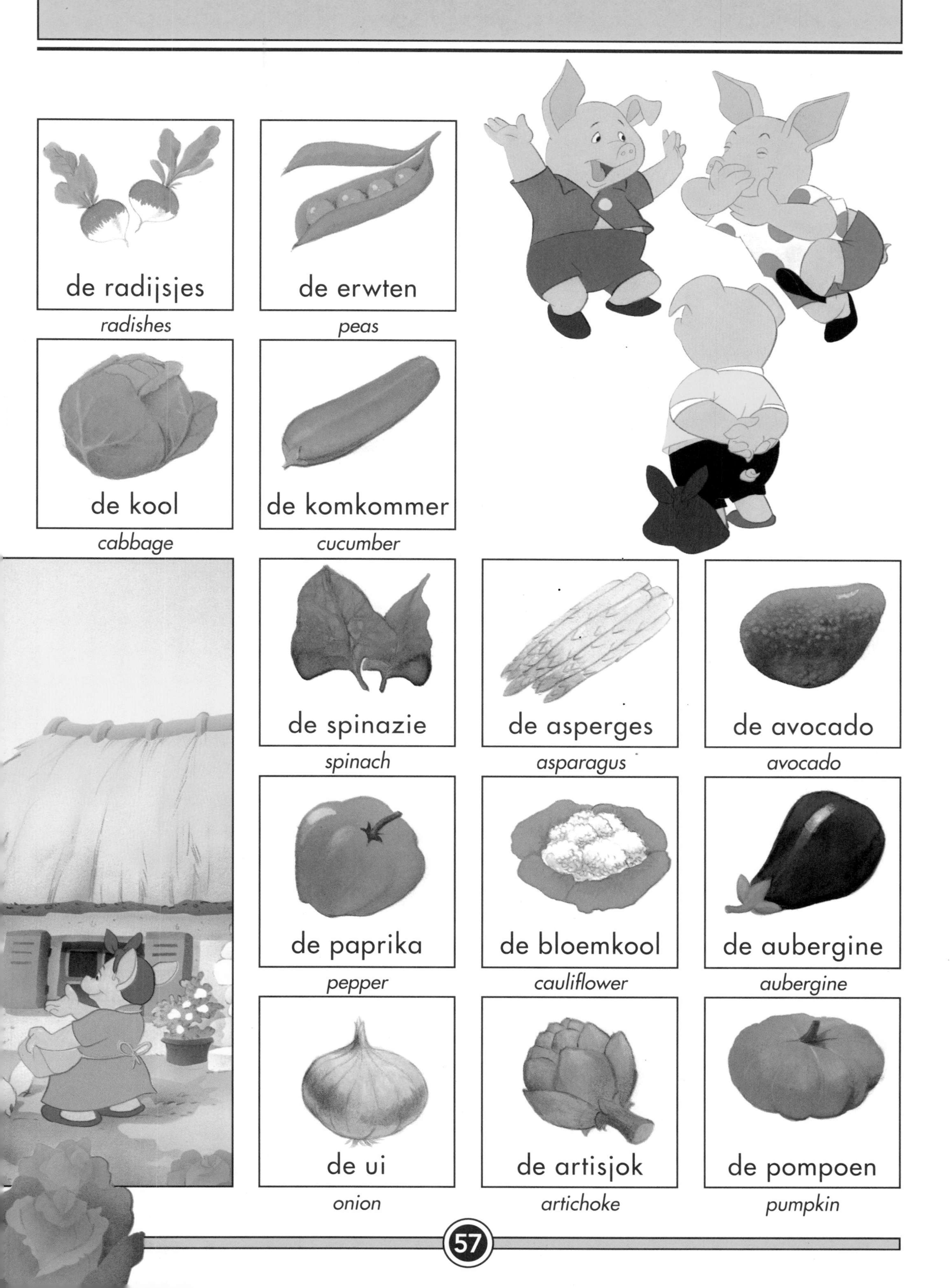
de radijsjes
radishes
de erwten
peas
de kool
cabbage
de komkommer
cucumber
de spinazie
spinach
de asperges
asparagus
de avocado
avocado
de paprika
pepper
de bloemkool
cauliflower
de aubergine
aubergine
de ui
onion
de artisjok
artichoke
de pompoen
pumpkin

In de tuin

Een vogel heeft Duimelijntje naar een prachtige tuin gebracht. Daar ontmoet ze de koning van de bloemen, die Duimelijntje vraagt met hem te trouwen.

In the garden

A swallow has carried Thumbelina to a beautiful garden. Here she meets the King of the Flowers, who asks her to marry him.

de gieter

watering can

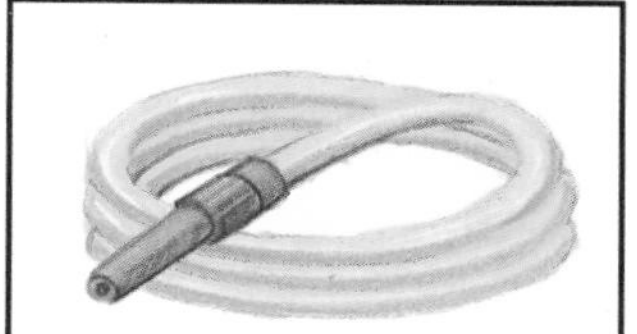

de tuinslang

hosepipe

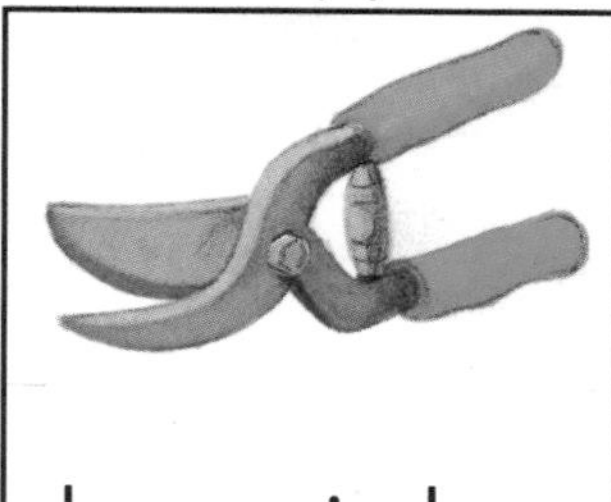

de snoeischaar

secateurs

de kruiwagen

wheelbarrow

de grasmaaier

lawn mower

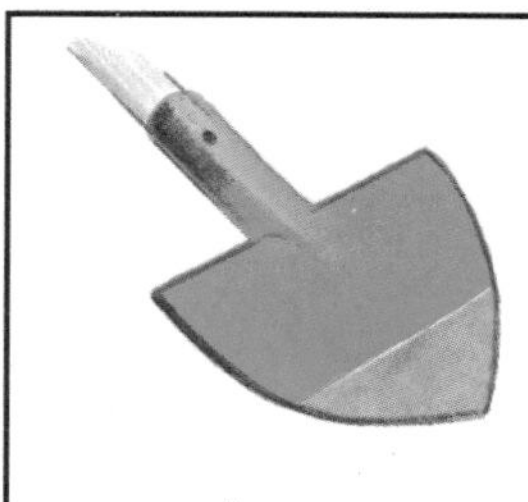

de spa

spade

de hark

rake

de kas

greenhouse

DE WOORDEN IN DIT BOEK

THE WORDS IN THIS BOOK